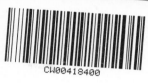

Les copains du CP

Tu flottes, Carotte !

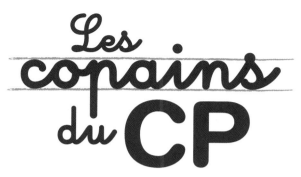

Des romans à lire à deux,
pour les premiers pas en lecture !

La collection Premières Lectures accompagne les enfants qui apprennent à lire. Chaque roman peut être lu à deux voix : l'enfant lit les bulles et un lecteur confirmé lit le reste de l'histoire.

Cette collection a trois niveaux :

JE DÉCHIFFRE les bulles peuvent être lues par l'enfant qui débute en lecture.

JE COMMENCE À LIRE les bulles peuvent être lues par l'enfant qui sait lire les mots simples.

JE LIS COMME UN GRAND les bulles peuvent être lues par l'enfant qui sait lire tous les mots.

Quand l'enfant sait lire seul, il peut lire les romans en entier, comme un grand !

Un concept original **+** des histoires simples **+** des sujets qui passionnent les enfants **+** des illustrations :
des romans parfaits pour débuter en lecture avec plaisir !

Cette histoire a été testée par Francine Euli, enseignante, et des enfants de CP.

Loi n° 49-956 du 16 juillet 1949 sur les publications destinées à la jeunesse, modifiée par la loi n° 2011-525 du 17 mai 2011.
ISBN : 978-2-09-255641-2

JE DÉCHIFFRE | JE COMMENCE À LIRE | JE LIS COMME UN GRAND

Tu flottes, Carotte !

TEXTE DE MYMI DOINET
ILLUSTRÉ PAR NATHALIE CHOUX

Nathan

Cet après-midi, les CP de l'école Plume-Poil-Patte vont à la piscine. Monsieur Le Bœuf, le conducteur du car, annonce :

C'est à dix minutes d'ici, pas plus !

Carotte est la dernière à monter à bord. La lapine est bien trop inquiète...

Carotte tremble devant l’entrée de la piscine. Et s’il y avait des requins dans l’eau ? Caramel, le singe, raconte qu’ils aiment surtout croquer les longues oreilles.

Madame La Cane, la maîtresse, rassure la lapine :

Caramel dit des bêtises !

Avant de se baigner, il faut passer sous la douche. Gaston et Lardon pensent que ça ne sert à rien, puisqu'ils vont se mouiller dans le petit bain.
Les frères cochons sont cracra, et pouah ! en plus, ils viennent de marcher sur des chewing-gums.

La maîtresse ordonne :

De son côté, la lapine attend
que madame La Cane ait tourné
le dos pour se savonner juste
le bout du museau.

L’eau n’est pas bien chaude, et
Carotte grelotte.

Elle en est sûre : dans cette piscine si froide, il y a forcément de gros ours blancs qui vont la croquer pour leur goûter.

Ensuite, monsieur Labrador,
le maître nageur, salue les CP
et distribue à chacun un bonnet.

Carotte grimace : dessous, ses oreilles vont se froisser et pendre comme deux pauvres chaussettes.

Ça va
les abîmer !

Puis monsieur Labrador montre
les bons mouvements pour nager
comme les grenouilles.

Même Puce barbote. Pourtant, le chat n'aime pas trop l'eau lui non plus. Il invite Carotte à l'imiter :

Ce n'est pas dur !

Mais elle ne veut pas nager...

Caramel taquine une fois de plus la lapine. Splatch ! Il l'éclabousse et s'écrie :

Je suis le pire des pirates !

Carotte dégouline. À ses pieds, il y a une mare. Oh, non ! On croirait qu'elle a fait pipi…

Vexée, la lapine met une patte dans l'eau, puis la seconde. À son tour, elle glisse enfin dans le petit bain. Ouf! Ici, il n'y a ni requins, ni ours blancs. Caramel rigole :

Tu flottes, Carotte ?

La lapine ne trouve pas ça drôle d'être trempée! Elle sanglote:

Je ne suis pas une crevette!

Carotte ressort vite de l'eau.
Elle craint que ses larmes fassent
déborder la piscine.

Le cœur triste, elle file pleurer sur le banc.

Papa, maman, venez me délivrer !

La maîtresse s'empresse d'envelopper la lapine dans une serviette plus douce qu'un bisou. Madame La Cane a vu Carotte dans le petit bain tout à l'heure. Elle la félicite :

Tu nages comme une belle sardine !

ant ce temps-là, Caramel grimpe sur le plongeoir. Mais sa tête se met à tourner. Aïe! il a le vertige. Le farceur ne blague plus. Le voyant si mal en point, Carotte monte tout en haut des marches pour lui venir en aide.

Courageuse, la lapine oublie ses peurs : elle tend la patte au singe, et plouf ! ils plongent ensemble en perdant chacun leur bonnet.

Pleins d'admiration pour la sauveteuse, les CP l'applaudissent :

Tu es trop forte,
Carotte !

Pendant le retour vers l'école, Caramel s'excuse auprès de sa copine, et il promet de ne plus se moquer d'elle ! Juste après, la maîtresse annonce une grande nouvelle : pour le voyage de classe, les CP iront à la plage.

Carotte en est sûre : là-bas, elle nagera avec les dauphins !

Super, j'adore la mer !

Bravo! Tu as lu un livre en entier!
Tu as aimé cette histoire?
Retrouve les Copains du CP dans d'autres aventures!

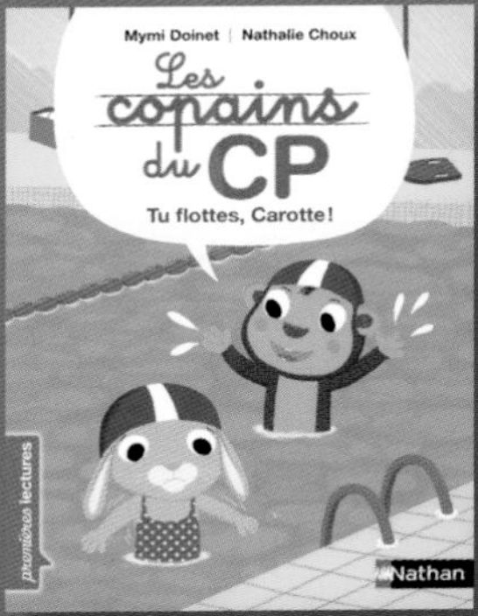

N° éditeur: 10242532 – Dépôt légal: juin 2015
Achevé d'imprimer en décembre 2017 par Pollina
(85400 Luçon, Vendée, France) - 83528C

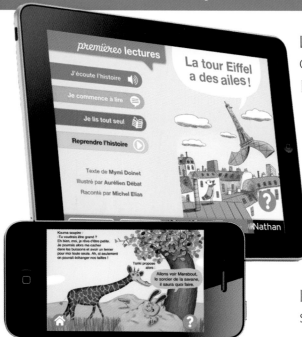

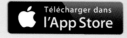